Au royaume
du roi Arthur

Pour Mallory Lœhr, le « vrai » gardien du chaudron.

Titre original : *Christmas in Camelot*
© Texte, 2001, Mary Pope Osborne.
Publié avec l'autorisation de Random House Children's Books,
un département de Random House, Inc., New York, New York, USA.
Tous droits réservés.
Reproduction même partielle interdite.
© 2006, Bayard Éditions Jeunesse pour la traduction française
et les illustrations.

Conception et réalisation de la maquette : Isabelle Southgate.
Illustration de couverture et illustrations intérieures : Philippe Masson.
Colorisation de la couverture, illustrations de l'arbre, de la cabane
et de l'échelle : Paul Siraudeau.

Loi n° 49 956 du 16 juillet 1949
sur les publications destinées à la jeunesse.
Dépôt légal : avril 2006 – ISBN 13 : 978-2-7470-2033-6
Imprimé en Allemagne par Clausen & Bosse

Au royaume
du **roi Arthur**

Mary Pope Osborne

Traduit et adapté de l'américain
par Marie-Hélène Delval

Illustré par Philippe Masson

CINQUIÈME ÉDITION

BAYARD JEUNESSE

L é a

Prénom : Léa

Âge : sept ans

Domicile : près du Bois de Belleville

Caractère : espiègle et curieuse

Signes particuliers : ne manque jamais une occasion d'entraîner son frère Tom dans des aventures mouvementées, sans se soucier du danger.

Tom

Prénom : Tom

Âge : neuf ans

Domicile : près du Bois de Belleville

Caractère : studieux et sérieux

Signes particuliers : aime beaucoup
les livres, qui l'aident à se sortir
de situations périlleuses.

Les vingt-trois premiers voyages de Tom et Léa

Tom et Léa ont découvert dans le bois de Belleville, perchée en haut d'un chêne, une cabane pleine de livres. C'est une

cabane magique !

Elle appartient à la fée Morgane, une magicienne et une célèbre bibliothécaire qui voyage à travers le temps et l'espace pour rassembler des livres.

Nos deux jeunes héros ont déjà vécu des **aventures extraordinaires** ! Il leur suffit d'ouvrir un livre, de poser le doigt sur une image en souhaitant se trouver à l'endroit représenté, et ils y sont aussitôt transportés !

Au cours de leurs quatre dernières aventures, Tom et Léa ont dû résoudre quatre énigmes pour découvrir une magie différente de celle des magiciens et des sorciers.

Souviens-toi...

Les enfants découvrent le théâtre !

Ils participent à une fête américaine : Thanksgiving.

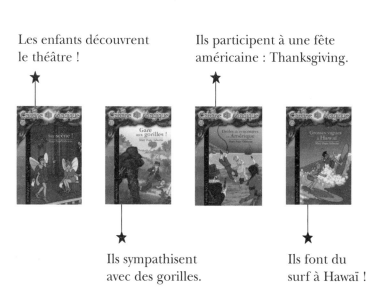

Ils sympathisent avec des gorilles.

Ils font du surf à Hawaï !

Nouvelle mission

Délivrer
trois chevaliers
de la Table Ronde,
prisonniers dans l'Autre Monde.

Sauront-ils éviter tous les dangers ?

Lis vite
ce nouveau « Cabane Magique »
et pars à la découverte
de l'Autre Monde.

Prêt à suivre Tom et Léa
dans leurs dangereuses aventures ?

Bon
voyage !

1

Une invitation
royale

Un pâle soleil d'hiver disparaît derrière les nuages ; il va neiger.

– Dépêchons-nous ! dit Tom. J'ai froid.

Le garçon rentre de l'école avec sa sœur, Léa. Ce soir, c'est le début des vacances de Noël.

Crou, crououou… !

– Oh ! souffle la petite fille. Regarde ! Là !

Un gros oiseau blanc, perché sur une branche, fixe les enfants de son œil rond.

– Tiens, dit Tom, une colombe !

– Une envoyée de Morgane !

Tom ne veut pas avoir de faux espoirs. Cela fait si longtemps que la fée ne s'est pas montrée ! Elle lui manque beaucoup. Il secoue la tête :

– Mais non !

– Mais si ! Morgane a besoin de nous pour une nouvelle mission, je le sens !

La colombe s'envole dans un froissement d'ailes et s'enfuit entre les arbres.

– Suivons-la ! s'écrie Léa. La cabane magique est de retour !

– C'est ce que tu crois !

– C'est ce que je *sais* ! affirme la petite fille en s'élançant sur le sentier.

Tom rouspète un peu. Il se met tout de même à courir derrière sa sœur.

Il fait déjà nuit ; on n'y voit presque rien, dans le bois. Mais les enfants connaissent le chemin par cœur. Leurs pas résonnent sur le sol durci par le gel. Bientôt, ils s'arrêtent au pied du plus haut chêne.

– Tu vois !
triomphe Léa
en désignant la
cime de l'arbre.

La cabane est là,
bien visible entre
les branches nues !
Tom soupire de
contentement.
– Morgane ! crie
Léa. Nous voilà !
Les enfants restent
le nez en l'air, atten-
dant que le visage de
la fée apparaisse à la
fenêtre.

13

Personne !

Léa empoigne l'échelle de corde et commence à grimper. Tom la suit.

À peine arrivé, il remarque quelque chose sur le plancher, un rouleau attaché par un ruban de velours rouge. Il le ramasse, le déroule.

Sur l'épais parchemin jauni, un texte scintille, écrit en lettres d'or.

– Wouah ! s'exclame Léa. Morgane nous a laissé un joli message !

– C'est une invitation. Écoute :

Chère Léa, cher Tom,
Veuillez accepter cette royale invitation !
Venez passer Noël au royaume du roi Arthur,
Dans le château de Camelot !

M

– Noël à Camelot ! s'écrie Léa. Je n'y crois pas !

– Fantastique ! murmure Tom.

Il imagine déjà une salle magnifique, illuminée par la lumière des candélabres, pleine de nobles dames et de chevaliers festoyant autour d'une immense table.

– Tu te rends compte, Tom ? On va fêter Noël avec Morgane, le roi Arthur, la reine Guenièvre !

– Les chevaliers de la Table Ronde ! enchaîne le garçon. Lancelot et Perceval !

Tom connaît bien la légende du roi Arthur, elle l'a toujours fasciné. Et voilà que la légende va devenir réalité !

Léa ne tient plus en place :

– Partons tout de suite ! Où est le livre sur Camelot ?

Mais les enfants ont beau chercher, ils ne trouvent qu'un seul livre, celui qui les ramène après leurs aventures, dans le bois de Belleville. Tom est très déçu :

– Comment allons-nous voyager, sans livre ?

– Je ne sais pas. Morgane a peut-être oublié.

Tom tourne et retourne le parchemin entre ses mains. Il n'y voit que le texte de l'invitation.

– C'est bizarre…

– C'est nul ! gémit Léa, les yeux fixés sur les élégantes lettres d'or. J'aimerais tellement qu'on aille à Camelot !

À cet instant, un coup de vent secoue les branches.

– Que se passe-t-il ? s'étonne Tom.

Le vent souffle plus fort.

– J'ai compris ! s'exclame Léa. J'ai regardé l'invitation, et j'ai dit : « J'aimerais tellement que… »

– Tu as fait un souhait ! La magie a fonctionné ! Nous partons pour Camelot !

Le vent souffle, la cabane se met à tourner. Elle tourne plus vite, de plus en plus vite. Elle tourbillonne comme une toupie folle.

Puis tout s'arrête, tout se tait.

2

Un bien triste royaume

Tom frissonne. De la buée sort de sa bouche et monte dans l'air froid. Léa est déjà penchée à la fenêtre de la cabane.

– C'est ça, Camelot ? lâche-t-elle, déçue.

Tom va regarder à son tour.

La cabane s'est posée en haut d'un arbre aux branches dénudées. Les sombres murailles d'un immense château se découpent contre le ciel gris. Pas une lumière aux étroites fenêtres, pas une bannière flottant sur les tours, pas de musique, pas de chansons. Seul le vent qui siffle entre les créneaux joue sa complainte solitaire.

– L'endroit a l'air abandonné, murmure Léa.

– Tu as raison, dit Tom. La cabane n'a pourtant pas pu se tromper….

Il sort tout de même du sac à dos son carnet et son stylo pour faire un croquis du château.

— Hé ! souffle Léa. Voilà quelqu'un !

Une silhouette passe le portail et apparaît sur le pont-levis. C'est une femme enveloppée dans une cape et portant une lanterne. Le vent soulève ses longs cheveux d'argent.

– Morgane ! crient les enfants d'une seule voix.

Et ils éclatent de rire, tant ils sont soulagés.

La fée s'approche hâtivement de l'arbre. Le sol gelé crisse sous ses pas. Elle lève sa lanterne :

– Tom ! Léa ! C'est vous ?

– Eh oui ! C'est nous ! lance joyeusement la petite fille.

Elle descend par l'échelle en vitesse, suivie de son frère. Tous deux se précipitent pour serrer la fée dans leurs bras.

– Par une fenêtre du château, j'ai aperçu un éclair de lumière du côté du verger, explique Morgane. Je suis sortie voir ce qui se passait. Comment êtes-vous arrivés ici ?

– Ben… vous nous avez envoyé la cabane magique ! dit Tom.

– Avec une invitation à fêter Noël à Camelot ! ajoute Léa.

La fée paraît soudain très inquiète :

– Je ne vous ai rien envoyé du tout !

Les enfants échangent un regard perplexe.

– Pourtant, le parchemin était signé d'un M ! insiste Tom.

– Je ne comprends pas…, marmonne Morgane. Nous ne fêterons pas Noël, cette année.

– Ah ? Pourquoi ? demande Léa.

Une ombre de tristesse voile le visage de la fée :

– Le roi Arthur a un ennemi mortel. Son nom est Mordred. Mordred a demandé à son Sorcier Noir de lancer une malédiction sur le royaume, le dépouillant de toute allégresse.

– Comment ça, « de toute allégresse » ? balbutie Léa.

– Depuis des mois, Camelot vit sans fêtes ni festins, sans musique ni chansons, sans rires ni plaisirs, sans amour ni lumière.

– Oh !

– Pouvons-nous aider à quelque chose ? s'enquiert Tom.

La fée sourit tristement :

– Je crains que, cette fois, vous ne puissiez rien faire. Mais cela réconfortera peut-être un peu le roi Arthur de vous rencontrer. Je lui ai si souvent parlé de vous ! Venez, entrons au château !

Levant sa lanterne, Morgane conduit
les enfants par le pont-levis jusqu'à une
vaste cour intérieure. On n'y voit pas signe
de vie.

– Où sont les gens ? chuchote Léa à
l'oreille de son frère.

– Je ne sais pas…

Tom regrette beaucoup de ne pas avoir de livre à consulter. Un bon livre, ça permet de comprendre tant de choses !

Morgane les entraîne dans un large passage voûté et s'arrête devant une grande porte de bois.

– Aucun livre ne t'aidera, cette fois, Tom, dit-elle.

Le garçon sursaute ; Morgane a-t-elle lu dans ses pensées ?

– Pourquoi ? s'étonne Léa.

– Au cours de vos précédents voyages, explique la fée, vous avez visité des pays réels, à des époques réelles. Mais Camelot est un royaume de légende. Les poètes l'ont créé par le pouvoir de leur imagination. Chacun d'eux, au fil du temps, a ajouté sa touche personnelle. C'est ainsi que la légende s'est transmise et qu'elle demeure dans les mémoires.

– Eh bien, nous, aujourd'hui, déclare Léa, nous y ajouterons notre touche personnelle !

– Exactement ! renchérit Tom.

Le visage de Morgane est grave dans la lumière de la lanterne :

– Merci, les enfants. Ne laissez pas la légende de Camelot se perdre dans l'oubli ! Aidez-nous à garder notre beau royaume en vie !

– Nous ferons tout ce que nous pourrons, promet Léa.

La fée sourit :

– Venez, maintenant ! Venez rencontrer le roi Arthur !

Elle soulève un énorme loquet et pousse la lourde porte. Tom et Léa pénètrent à sa suite dans la sombre demeure.

3

Les chevaliers de la Table Ronde

La lueur de quelques torches éclaire à peine un vaste hall balayé de courants d'air. Des ombres dansent sur les tapisseries qui couvrent les murs.

– Attendez ici ! dit Morgane. Je préviens le roi de votre arrivée.

La fée traverse le hall et pousse une autre porte, au fond.

– Allons voir ! chuchota Léa.

– Morgane nous a dit d'attendre ! proteste son frère.

– On jette juste un coup d'œil !

Tom remonte ses lunettes sur son nez. Le cœur battant, il suit sa sœur sur la pointe des pieds. La porte est restée entrouverte.

Les enfants passent la tête prudemment. Ils découvrent une grande salle pavée, très haute de plafond.

Le roi Arthur et ses chevaliers sont assis autour d'une immense table. Tous sont barbus et portent des tuniques brunes. Leurs noms sont gravés en lettres d'or sur les dossiers de leurs chaises.

– Les chevaliers de la Table Ronde ! souffle Tom.

Morgane parle au roi Arthur. Près de lui est assise une femme à la peau très claire,

aux longues boucles brunes, vêtue d'une simple robe de laine.

– La reine Guenièvre ! murmure Léa.

Voyant que Morgane revient, Tom et Léa reculent vivement. La fée les appelle depuis le seuil de la porte :

– Venez ! Le roi vous attend.

Très impressionnés, les enfants pénètrent dans la salle. Elle est humide et glacée. Aucun feu ne flambe dans la cheminée.

Tom a l'impression que le froid des pavés passe à travers ses semelles et lui gèle les pieds.

Le roi les dévisage de ses beaux yeux gris. Léa esquisse une petite révérence ; Tom s'incline avec respect. La reine sourit ; le roi, lui, reste impassible.

– Votre Majesté, dit Morgane, je vous présente Tom et Léa. Je vous ai raconté comment ils m'ont aidée à rassembler des livres pour notre bibliothèque de Camelot.

– Je ne l'ai pas oublié, répond doucement le roi. Bonjour, Tom ! Bonjour, Léa !
Comment se fait-il que vous soyez ici, par
une aussi triste nuit ?

– C'est la cabane magique qui nous a
transportés, explique Léa.

Le roi fronce les sourcils et lève vers
Morgane un regard interrogateur.

– Non, Votre Majesté, dit la fée. Ce n'est
pas moi qui les ai amenés ici. Peut-être la
cabane est-elle si imprégnée de magie
qu'elle peut décider seule d'un déplace-
ment ?

« Que se passe-t-il ? se demande Tom,

BOHORS

KAY

TRISTAN

SOGREMOR

troublé. Pourquoi le roi Arthur a-t-il l'air mécontent ? »

Le souverain se tourne de nouveau vers les enfants :

– N'importe. Soyez les bienvenus dans mon royaume !

La reine Guenièvre intervient alors. Sa bouche sourit, mais son regard reste voilé :

– Morgane nous a beaucoup parlé de vous.

Le roi Arthur reprend la parole :

– Laissez-moi vous présenter mes fidèles chevaliers : voici messire Bohors, messire Kay, messire Tristan…

HECTOR   URIEN   BEDWERE   GAUVAIN

À chaque nom, Tom et Léa font un petit signe de tête, intimidés de saluer des personnages aussi fameux.

Le roi continue :

– Messire Sogremor, messire Hector, messire Urien…

Les chevaliers saluent eux aussi à l'appel de leur nom.

– … Messire Bedwere et messire Gauvain, termine le roi.

Tom s'aperçoit alors que, autour de la table, trois sièges sont restés vides. Le roi ajoute :

– Hélas, nous avons perdu trois d'entre nous.

« Comment ça, perdu ? » se demande Tom.

– Asseyez-vous donc, et dînez en notre compagnie ! les invite le souverain.

– Merci, dit Léa.

Morgane et les enfants font le tour de la

table. Au dos des chaises vides, Tom lit les noms des absents : Lancelot, Galahad, Perceval.

Il pose son sac à dos et s'assied à la place de Lancelot, le plus célèbre des chevaliers du roi Arthur. Tom se tient bien droit, sur le dur siège de bois.

Il observe les convives, et trouve qu'ils mangent plutôt salement : ils empoignent les pièces de viande à pleines mains, rongent les os et aspirent bruyamment le vin de leurs lourds gobelets.

Comme il a très envie de prendre des notes, il tire discrètement ses affaires du sac. Mais voilà un serviteur qui apporte de nouveaux plats. Tom cache vite le carnet et le stylo sous la table. On pose devant lui un morceau de viande grasse entouré de pain trempé. Ce n'est pas très appétissant.

– Drôle de repas de Noël ! lui glisse Léa à l'oreille.

Puis la petite fille se penche vers la fée, assise à sa droite, et chuchote :

– Qu'est-il arrivé aux trois chevaliers ?

Morgane répond à voix basse :

– Après le sort lancé par le Sorcier Noir, Arthur a cherché secours auprès des magiciens du royaume. Ceux-ci lui ont conseillé d'envoyer ses chevaliers à la recherche de l'Autre Monde, pour y retrouver la joie dérobée.

– L'Autre Monde ? répète Tom, qui a entendu.

– C'est un lieu enchanté, un pays où est née la magie. Le roi a désigné trois de ses chevaliers pour cette quête. Ne les voyant pas revenir, il a chassé les magiciens, les accusant d'être responsables des malheurs du royaume. Et il a interdit la magie.

– Mais vous êtes magicienne ! s'inquiète Léa. Le roi vous en veut, à vous aussi ?

– Arthur et moi sommes de vieux amis. Il m'a permis de rester au château à condition de ne plus pratiquer la magie.

Tom sent un frisson d'effroi le parcourir :

– Alors… la cabane magique est…

– Oui. La cabane est à jamais bannie de Camelot. C'est votre dernier voyage, j'en ai peur ; et nous nous voyons pour la dernière fois.

La fée détourne la tête, les yeux pleins de larmes.

– Quoi ? souffle Léa. Nous ne nous reverrons plus jamais ?

Avant que Morgane ait pu répondre, la lourde porte s'ouvre avec fracas. Un coup de vent bouscule la flamme des torches, et de grandes ombres se mettent à onduler

sur les murs.

Un bruit de sabot résonne sur les pavés, et un chevalier surgit, chevauchant un gigantesque destrier.

Il est vêtu de rouge : son casque est rouge, ainsi que la grande cape qui l'enveloppe. Le cheval est en vert, les pièces d'armure qui recouvrent sa tête sont du même vert que son harnais et le tissu du caparaçon.

– Oooooh ! s'exclame Léa. On dirait… un Père Noël chevalier !

Qui le fera ?

– Je cherche le roi Arthur ! lance le chevalier.

Les murs de pierre renvoient l'écho de sa voix puissante, et son armure rougeoie à la lumière des torches.

Le roi se lève. Fixant le mystérieux visiteur d'un regard fier, il répond calmement :

– Je suis Arthur.
Qui es-tu ?

Le chevalier ne répond pas. Il lance d'un ton plein de raillerie :

– Voilà donc le légendaire souverain de Camelot ! Et ceux-ci doivent être les fameux chevaliers de la Table Ronde !

– Oui, dit Arthur. Et je repose ma question : qui es-tu ?

Cette fois encore, le chevalier rouge ne répond pas. Mais il continue :

– On raconte qu'une malédiction a dépouillé le royaume de toute allégresse. Vous a-t-elle aussi dépouillés, toi et tes hommes, de tout courage ?

– Comment oses-tu mettre en doute notre courage ? gronde le roi.

– Le royaume de Camelot se meurt ! vocifère l'inconnu. Si aucun de vous n'est assez brave pour se rendre dans l'Autre Monde et y retrouver la joie, qui le fera ?

– Mes trois meilleurs chevaliers y sont partis, répond Arthur. Aucun n'est revenu.

L'homme en rouge tonitrue :

– Ne peux-tu en envoyer d'autres ?

– NON !

Le roi frappe de son
poing sur la table :

– Plus jamais je ne
laisserai mes vaillants
chevaliers à la merci
des monstres et des
sortilèges de l'Autre
Monde !

« Des monstres ? Quels monstres ? » se
demande Tom avec angoisse.

La voix du chevalier rouge devient lourde
de menace :

– Alors, tu as scellé ton destin. Si tu
n'envoies personne vers l'Autre Monde,
tout ce qui fait la beauté de ton royaume,
sa musique, sa lumière, ses merveilles,
tout sera perdu, et personne n'en gardera
mémoire.

– Oh, non ! gémit Léa.

– Tais-toi ! lui souffle son frère.

L'homme rouge toise les chevaliers assis autour de la table et lance :

– Qui le fera ?

– Nous ! s'écrie Léa. Nous le ferons !

– Qui ça, nous ? balbutie Tom.

Léa saute de son siège et se plante devant le chevalier :

– Oui ! Nous irons dans l'Autre Monde !

– Non ! proteste Morgane.

– Jamais ! renchérit le roi.

Tom descend de sa chaise à son tour et tire sa sœur par le bras :

– Tu es folle, Léa ! Tais-toi !

Le chevalier désigne les enfants de sa main gantée de rouge et déclare d'une voix tonnante :

– Oui ! Ceux-là, les plus jeunes d'entre vous, ils le feront !

– Tu te moques de nous ! rugit le roi Arthur.

– ILS LE FERONT ! clame le chevalier.

Et ces trois mots résonnent longuement sous les hautes voûtes.

« Ce n'est pas vrai… ! » pense Tom, atterré.

Le roi Arthur ordonne à ses chevaliers :

– Retenez ces enfants !

Plusieurs hommes se lèvent. Mais le chevalier rouge les arrête d'un geste impérieux. Un étrange silence tombe soudain sur la grande salle.

Autour de la table, le roi, la reine, les chevaliers, tous se figent dans une pose de statue. Morgane reste pétrifiée, elle aussi, le bras tendu comme pour rattraper Tom et Léa. Sa bouche est ouverte sur un cri muet.

Trois comptines et un secret

– Morgane ?

Léa s'approche de la fée, touche sa joue, et retire vivement la main :

– Elle est glacée !

Les larmes montent aux yeux de la petite fille. Elle se tourne vers le chevalier rouge et hurle :

– Qu'avez-vous fait à Morgane ? Réanimez-là !

– N'aie pas peur, dit doucement le chevalier. Elle sortira de son engourdissement dès que vous aurez accompli votre quête.

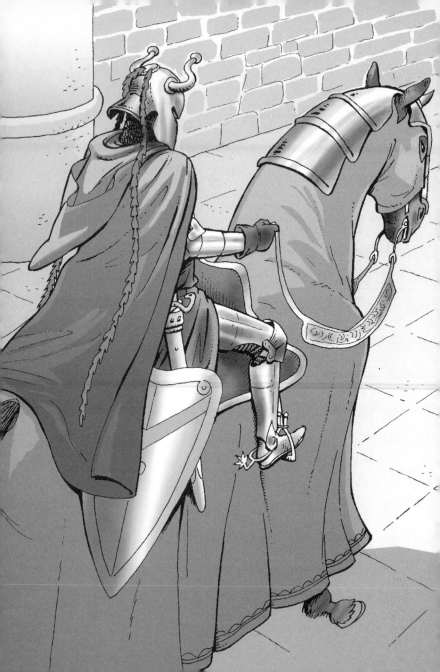

– Cette… euh… quête, demande Tom, elle consiste en quoi, exactement ?

– Vous vous rendrez dans l'Autre Monde. Là, vous trouverez un chaudron. Il contient une eau magique, l'Eau de la Mémoire et de l'Imagination. Vous en remplirez une coupe, que vous rapporterez à Camelot. Si vous échouez, le royaume ne reviendra jamais à la vie. Jamais !

– Comment ferons-nous ? demande Léa en s'essuyant les yeux.

– Le secret de votre réussite tient à trois comptines que je vais vous dire.

– Une minute ! fait Tom. Je vais les écrire.

Il va chercher son carnet et son stylo.

– Je suis prêt, dit-il en regardant le chevalier.

Ses mains tremblent un peu, mais l'idée d'avoir quelque chose à noter lui redonne de l'assurance.

Les mots de l'homme en rouge sonnent étrangement à travers son casque :

Par-delà la porte de fer,
Par-delà la porte de verre,
Les Gardiens du Chaudron
Veillent et s'affairent.

Tom écrit à toute vitesse.

– Ensuite ?

Le chevalier reprend :

Quatre cadeaux
vous recevrez :

Le premier je vous offrirai,
   Puis on vous donnera
   une coupe, une carte,
Et, pour finir, une clé.

– Coupe…, carte…, clé…
J'y suis. Et après ?
   La voix du chevalier
s'élève de nouveau :

   Qui survivra
   à cette quête
      trouvera,
   à l'ouest,
   la porte
      secrète.

   Tom note la dernière
comptine. Puis il lève les
yeux :
   – C'est tout ?

Le chevalier ne répond pas. Il ôte sa grande cape et la jette sur le sol. Elle tombe aux pieds des enfants, sans bruit.

Alors, l'homme en rouge tire sur les rênes pour faire virer son cheval, il talonne sa monture. Puis, dans un fracas de sabots, il traverse le hall au grand galop et disparaît dans la nuit.

Aussi blanc que la neige

Dès le départ du chevalier rouge, la lumière des torches se met à baisser. Un courant d'air glacé balaie la salle.

– Qui sont les Gardiens du Chaudron ? s'interroge Tom à voix haute. Et de quelle porte secrète s'agit-il ?

– On verra bien, dit Léa. Tout ce qu'on sait, c'est qu'on doit sauver Morgane !

Elle plie la grande cape et la met sur son bras :

– Voilà déjà notre premier cadeau. Allons-y !

Elle quitte la salle d'un pas décidé. Tom hésite un instant, remonte ses lunettes sur son nez, jette un dernier regard sur les chevaliers pétrifiés, le roi, la reine, la fée. Il aime la fée. Grâce à elle, il a appris tant de choses ! S'ils échouent dans cette quête, la légende de Morgane et du roi Arthur disparaîtra à jamais, la cabane magique n'existera plus...

Tom range son carnet et son stylo, jette son sac sur le dos et se dirige vers le hall.

– Léa ?

Pas de réponse ; le hall est vide. Tom se met à courir :

– Léa ?

– Je suis là !

Sa sœur l'attend au seuil de la cour.

– Comment va-t-on dans l'Autre Monde ? demande-t-elle.

– La cabane va peut-être nous y trans-
porter. Essayons !

Ils traversent la grande cour, franchissent le pont-levis. La lune éclaire le
bosquet d'arbres où la cabane s'est posée.
Ils grimpent à l'échelle, s'assoient sur le
plancher. Léa prend le parchemin avec
l'invitation :

– Ferme les yeux, je vais prononcer le
souhait !

Tom obéit. Il frissonne. Il entend Léa
déclarer :

– Nous souhaitons aller dans l'Autre
Monde !

Les branches nues s'agitent, secouées
par un fort coup de vent.

– Ça marche ! s'écrie Léa.

Quand le vent cesse de souffler, Tom
ouvre les yeux. Lui et sa sœur courent à
la fenêtre. Le château se dresse devant
eux. Ils sont encore à Camelot.

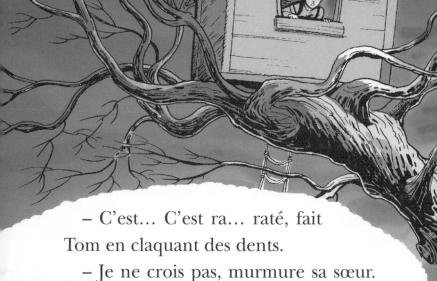

– C'est… C'est ra… raté, fait
Tom en claquant des dents.

– Je ne crois pas, murmure sa sœur.
Regarde en bas !

Au pied de l'arbre se tient un cerf
d'une taille extraordinaire. Ses bois
immenses luisent dans la clarté lunaire ;
ses yeux couleur d'ambre contemplent les
enfants. Mais le plus incroyable, c'est sa
couleur : celle de la neige fraîchement
tombée.

– Un cerf blanc ! lâche Tom, émerveillé.

L'animal secoue sa belle tête. De la
buée sort de ses naseaux.

– C'est lui qui va nous emmener, comprend Léa.

– Ça ne se monte pas, un cerf ! proteste Tom.

Mais sa sœur est déjà sur l'échelle. Depuis la fenêtre, il la voit s'approcher de la bête et lui parler doucement.

Le cerf s'agenouille, Léa grimpe sur son dos. Elle appelle :

– Tom ? Tu viens ? Apporte la cape !

– J'arrive !

Il ramasse le lourd vêtement de velours, le jette sur son épaule et se dépêche de descendre.

– Grimpe derrière moi ! dit Léa.

Tom met la cape sur son dos, par-dessus son sac, et l'agrafe sous son menton. Une bonne chaleur l'envahit aussitôt. Il monte sur le dos du cerf.

– Prêt ? demande Léa.

– Prêt !

La bête se relève. Léa s'accroche à son cou ; Tom ramène les pans de la cape sur les épaules de sa sœur, puis il lui entoure la taille de ses bras.

Le cerf fait quelques pas sur l'herbe gelée. Il souffle bruyamment ; puis, d'un coup, part au galop.

Les enfants se cramponnent de leur mieux. Leur monture bondit par-dessus les buissons, saute des murets de pierres, franchit des ruisseaux.

Les nattes de Léa flottent dans le vent. Tom s'étonne que ce soit si facile de chevaucher le cerf blanc ! Il se sent calme, sûr de lui, tandis que l'animal traverse à une vitesse incroyable la campagne gelée.

Des troupeaux de chèvres et de moutons dorment dans les prés. Au loin apparaît une montagne, dont la cime se perd dans les nuages.

Le cerf galope toujours, traversant la nuit comme une comète. Bientôt, sans même ralentir, il escalade une pente

rocheuse. Enfin il s'arrête sur une plate-forme, au pied d'une haute falaise. Des lambeaux de brouillard s'enroulent autour de lui. Il s'agenouille pour laisser les enfants descendre.

Puis il se relève et les regarde de ses beaux yeux d'ambre.

– Merci, dit Léa. Tu dois t'en aller, maintenant ?

L'animal secoue la tête, souffle deux ou trois fois. Puis il rebrousse chemin et se fond dans le brouillard.

– Au revoir ! murmure la petite fille.

Elle se tourne vers son frère :

– Qu'est-ce qu'on fait, maintenant ?

– Je ne sais pas… Si on relisait les comptines ?

Repoussant la cape rouge, il fouille dans son sac, en tire le carnet et lit :

Par-delà la porte de fer…

– Tom ! l'interrompt Léa. Regarde !

Le garçon lève les yeux. Le brouillard s'est un peu dissipé, et on distingue, à l'opposé de la falaise, un portail gigantesque taillé dans le roc.

Une faible lueur passe entre les épais barreaux de fer de la grille. De chaque côté du portail, sous une torche fixée au montant, se tient un chevalier en armure d'or.

– Oh ! souffle Tom.

– La voilà, la porte de fer ! murmure Léa. Si nous la franchissons, nous entrerons sûrement dans l'Autre Monde !

7

Une cape magique

Le vent s'est levé, dispersant le brouillard, et les enfants voient apparaître un pont, fait d'épaisses planches de bois. Il part de la plate-forme et mène à la porte de fer.

– Super ! s'écrie Léa. On traverse !

– Attends ! Et les gardes ?

Les deux chevaliers se tiennent parfaitement immobiles, une longue lance à la main. Leurs armures luisent à la lumière des torches.

– Tu as raison, soyons prudents ! Il y a

peut-être une indication dans la deuxième comptine ?

Tom reprend son carnet et lit :

> Quatre cadeaux
> vous recevrez :
> Le premier je vous offrirai...

– Le premier cadeau, c'est la cape du chevalier, le coupe Léa.

– Oui. Elle ne sert peut-être pas seulement à nous tenir chaud.

Tom dégrafe la cape et la tient devant lui pour l'examiner.

– Et si c'était une cape d'invisibilité ? suggère Léa.

– N'importe quoi !

– Je t'assure ! Dans les contes, ça existe !

Son frère hausse les épaules :

– Je ne suis pas devenu invisible quand je l'ai mise sur moi !

– Tu ne la portais sans doute pas de la bonne façon… Fais-voir !

Tom tend la cape à sa sœur. Le tissu claque au vent tandis que la petite fille s'enveloppe dedans.

– Tu me vois toujours ?

Tom soupire, exaspéré :

– Oui, Léa ! Je te vois !

Il tourne les yeux vers la porte de fer. Ce qui l'inquiète le plus, c'est ce qu'il y a derrière ! « Même si nous trompons la surveillance des gardes, pense Tom, que se passera-t-il, après ? Les meilleurs chevaliers de Camelot ne sont pas revenus de l'Autre Monde. Et le roi Arthur a dit qu'il était plein de monstres et de sortilèges ! »

– Et maintenant, tu me vois ?

Tom cherche Léa du regard. Elle a disparu !

– Léa ? Où es-tu ?

– Super ! Ça marche !

– Où es-tu ? répète Tom, affolé.

– Je suis là !

Le garçon sent une main qui lui touche le visage. Il fait un bond en arrière :

– Aaaaah !

– C'est moi ! Je suis invisible ! J'ai rabattu le capuchon sur ma tête ; c'est ça, le truc !

Tom sent un frisson d'excitation courir

dans ses veines. Il souffle :

– Incroyable !

– Attention, regarde bien ! J'enlève le capuchon !

D'un coup, Léa réapparaît.

– Ça fait un drôle d'effet, d'être invisible, avoue-t-elle.

Tom en reste un instant sans voix. Puis il secoue la tête :

– Ce… c'est trop bizarre !

– C'est peut-être bizarre, mais c'est le meilleur moyen de passer sans être arrêtés par les gardes ! En plus, on pourra rester invisibles dans l'Autre Monde. On ne sait pas ce qui nous attend, là-bas !

– Tu as raison !

– Bon, mets-toi à côté de moi, et ne bouge pas !

Tom range son carnet. Léa jette la cape par-dessus leurs épaules :

– Heureusement qu'elle est assez grande pour nous deux !

Elle arrange soigneusement les pans autour d'eux. Puis elle rabat le capuchon sur leurs têtes.

Tom regarde ses pieds. Il ne les voit plus ! Ni ses jambes ! Il rejette le capuchon :

– Pffff ! J'ai l'impression d'étouffer !

– Je t'ai prévenu que ça faisait un drôle d'effet ! Mais c'est le seul moyen de passer sans être repérés par les gardes.

– Je sais. Et ça nous protégera aussi de l'autre côté…

Tom inspire un grand coup. Il abaisse de nouveau le tissu de velours sur leurs têtes :

– Allons-y !

– Je vais tenir le bord du capuchon, pour que le vent ne le retrousse pas, dit Léa. Maintenant, on ne pense plus qu'à une chose : traverser ce pont !

– Mais je ne vois plus mes pieds…

– Tu n'as pas besoin de les voir pour les mettre l'un devant l'autre ! Regarde droit devant toi, et avance ! Fais-le pour Morgane !

Les enfants s'engagent sur les planches du pont. Le vent les enveloppe en hurlant.

Tom ne peut pas s'en empêcher, il baisse les yeux vers le sol. C'est effrayant ! Il ne distingue plus son corps, et des lambeaux de brouillard virevoltent autour de… rien !

Pris de vertige, il s'arrête.

– Avance ! chuchote Léa.

Tom se remet en marche. Peu à peu, pas à pas, ils s'approchent du haut portail de fer. À la lueur des torches, les deux gardes ressemblent à des géants.

Tom n'ose plus respirer. « Comment allons-nous ouvrir le portail ? » s'inquiète-il.

– Shhhhhhhhhh ! fait Léa.

D'émotion, le cœur de Tom manque de s'arrêter : à quoi joue-t-elle ? Il demande tout bas :

– Qu'est-ce que tu fais ?

– J'imite le vent ! Nous sommes le vent ! Shhhhhhhhhhh !

Léa appuie sa main sur la porte, et celle-ci s'entrouvre, comme poussée par le vent :

– Shhhhhhhhhh !

Les gardes tournent la tête, surpris.

– Vite ! souffle la petite fille.

Tous deux se glissent par l'ouverture, et la porte se referme bruyamment derrière eux.

– Shhhhhhhh !

À travers les barreaux de fer, Tom voit que les gardes fixent de nouveau le pont. Dans un murmure, il félicite sa sœur :

– Bien joué !

– Tu vois, ce n'était pas si difficile !

Alors, ils lèvent les yeux et lâchent une exclamation :

– L'Autre Monde !

8

La ronde ensorcelée

L'Autre Monde ne ressemble pas du tout au pays noir et froid que les enfants ont laissé derrière eux.

Ils se trouvent devant une vaste prairie d'un vert très tendre, baignée d'un chaud soleil doré. Trois chevaux – un noir, un brun et un gris – y paissent tranquillement.

Un peu plus loin s'élève une colline couverte de fleurs aux pétales chatoyants, déclinant toutes les nuances de rouge : pourpre, carmin, vermillon…

– C'est joli, ici ! s'exclame Léa.

– Oui, très joli, dit Tom. Je pense qu'on peut se débarrasser de ça, à présent !

Il repousse le capuchon, et se sent bien soulagé en voyant réapparaître sa sœur à ses côtés. Il est bien content aussi de retrouver ses bras et ses jambes.

– C'était quoi, déjà, la première comptine ? demande Léa.

Tom reprend son carnet et lit :

Par-delà la porte de fer,
Par-delà la porte de verre,
Les Gardiens du Chaudron
Veillent et s'affairent.

Inquiet, il regarde autour de lui :

– Je me demande à quoi ils ressemblent, ces Gardiens du Chaudron…

– Quoi ? Tu viens de passer devant eux !

– Je ne crois pas. D'abord, la comptine

dit : *Par-delà la porte,* et les gardes étaient devant. Et on n'a pas franchi de porte de verre…

– Tu as raison. Mais…, tu entends ?

Le vent leur apporte des bribes de musique, un air joyeux, entraînant, qui semble monter de l'autre côté de la colline. Tom écoute et se sent soudain léger, heureux. Cette musique est tellement charmante !

– Allons voir ! décide Léa.

– Attends ! Remettons d'abord la cape d'invisibilité, on ne sait jamais !

– Si tu veux ! soupire sa sœur.

Les enfants rabattent le capuchon sur leurs têtes et s'avancent dans l'herbe épaisse. Ils escaladent la colline fleurie. Arrivés au sommet, ils s'arrêtent.

– Oh ! lâche Tom.

La colline descend en pente douce jusqu'à un petit bois enveloppé de brouillard. Et, là, au milieu d'une vaste clairière,

des musiciens soufflent dans des flûtes, agitent des tambourins ou pincent les cordes de sortes de guitares.

Autour d'eux, des dizaines et des dizaines de gens dansent une ronde joyeuse en se tenant par la main. Danseurs et musiciens, vêtus de bleu, de vert, de jaune, de brun, chaussés de poulaines rouge vif, sourient. Les chevelures des femmes sont piquées de fleurs, les chapeaux des hommes ornés de plumes. Mais le plus extraordinaire, c'est qu'ils portent tous dans le dos des ailes argentées qui scintillent dans la brume.

– Qu'ils sont beaux ! s'émerveille Léa. Et ils paraissent gentils ! Je pense qu'on n'a plus besoin de rester invisibles.

Les enfants dégrafent la cape, la laissent tomber dans l'herbe et courent vers les danseurs. Ceux-ci ne semblent pas remarquer la présence de Tom et Léa. Ils continuent de tourner et de tourner en riant.

– J'ai bien envie d'entrer dans la ronde !
s'écrie Léa.

– Moi aussi ! assure Tom.

C'est bizarre ! D'habitude, Tom est plutôt timide. Et voilà qu'il veut absolument
danser avec les autres, il le veut
plus que n'importe quoi !

Il ôte son sac à dos.
Au moment de le poser, il aperçoit trois
épées couchées dans
l'herbe. Mais il n'a
pas le temps de se
poser de questions,
la musique l'appelle !

Les danseurs ailés
accueillent les enfants dans
leur ronde sans s'étonner. Léa se met à
sautiller, tenant d'un côté la main de Tom,
et de l'autre celle d'un homme au visage

souriant. Tous ces gens sont des adultes, pourtant la petite fille s'aperçoit avec étonnement qu'aucun d'eux n'a la moindre ride. C'est curieux, ils semblent tous très jeunes, et, en même temps… très vieux.

Tom, lui, ne s'est jamais senti aussi bien. Ses lunettes sont tombées, mais ça lui est égal. Il danse, il danse, et plus il danse, plus les choses deviennent floues dans sa tête. Il oublie Morgane, il oublie le roi

Arthur et le château de Camelot ; il oublie qu'il est en quête de l'Eau de la Mémoire et de l'Imagination. Il oublie ses peurs, ses inquiétudes. Il danse, c'est tout !

– Tom ! lui crie soudain Léa. Regarde !

Il se tourne vers sa sœur en souriant :

– Non ! Pas moi ! Regarde là-bas, dans le cercle !

Tom sourit toujours d'un air béat :

– Je ne vois rien, j'ai perdu mes lunettes !

– Là-bas ! insiste la petite fille. Il y a trois chevaliers ! Trois chevaliers qui dansent !

– Super ! s'exclame Tom.

– Tom, regarde ! hurle Léa en secouant la main de son frère. Ils ont l'air malade !

D'un geste brusque, elle se détache de la ronde et se jette en arrière. Elle roule dans l'herbe en appelant :

– Tom ! Cesse de danser ! Sors du cercle !

Mais Tom n'a aucune envie de s'arrêter. Il veut tourner sur cette musique merveilleuse encore et encore ; il veut danser, danser, danser pour toujours…

9

Les chevaliers perdus

Léa agrippe son frère par un bras et tire de toutes ses forces :

– Sors de là, Tom ! Arrête de tourner !

– Laisse-moi tranquille, Léa !

La petite fille s'acharne, tant et si bien que Tom finit par lâcher les mains de ses voisins. Il tombe rudement sur le derrière.

Les danseurs n'y prennent pas garde. Le cercle se referme aussitôt et la ronde continue.

– Pourquoi tu as fait ça ? rouspète Tom. Je m'amusais bien !

– Ces chevaliers, là, reprend Léa en pointant le doigt. Tu les vois ?

Non, Tom ne voit rien. Le paysage vacille devant ses yeux ; il n'a qu'une envie, rejoindre la ronde.

– Tiens, j'ai retrouvé tes lunettes. Remets-les !

Le garçon obéit et observe le cercle des danseurs. Un reflet de soleil sur une armure attire son attention. Ça y est ! Il repère trois chevaliers, côte à côte, qui se donnent la main, deux jeunes et un plus âgé. Ils tournent avec les autres, et quand le garçon peut les examiner de plus près, toute la joie qu'il ressentait jusqu'alors s'évanouit d'un coup. Les visages des trois hommes sont si tristes, si pâles ! Leurs cheveux et leur barbe sont poisseux, emmêlés. Leurs yeux sont hagards, et leurs lèvres figées en un sourire anormal.

– Qu'est-ce qu'ils ont ? balbutie Tom.

– Ils ne peuvent pas s'arrêter de danser ! dit Léa. Ils vont danser jusqu'à en mourir.

– Ce sont sûrement les trois chevaliers perdus du château de Camelot...

– Oui. Et c'est à nous de les sauver !

Tom ôte ses lunettes, se frotte les yeux pour s'éclaircir les idées, remet ses lunettes. Enfin, il propose :

– On pourrait retourner dans la ronde, se placer de chaque côté des chevaliers, et les tirer hors du cercle.

– Exactement !

– Attends ! Et si je n'arrive plus à m'arrêter, encore une fois ?

– N'écoute pas la musique ! Pense à autre chose ! Pense à notre mission, par exemple. Pense à Morgane !

– D'accord. Je vais essayer.

Tom et Léa s'accroupissent dans l'herbe et attendent que les chevaliers repassent près d'eux.

Les trois hommes se rapprochent, plus près, encore plus près…

– On y va ! fait Léa.

Les enfants bondissent, brisent le cercle et prennent place de chaque côté du groupe de chevaliers.

Tom a aussitôt l'impression que ses pieds sautent tout seuls, au rythme des tambourins. Ses peurs s'envolent, une vague de bonheur monte en lui. Il entend Léa crier :

– Maintenant, Tom ! Tire-les !

Mais le garçon est de nouveau ensorcelé par la musique. Elle résonne dans sa tête, dans ses bras, dans ses jambes. Il ne veut plus que danser, danser, danser…

– Tom ! hurle Léa. Tire-les hors du cercle ! Tire !

Le garçon secoue la tête, comme pour chasser les cris de sa sœur. Alors celle-ci lance :

– Morgane ! Pense à Morgane !

À ce nom, Tom trébuche. « Morgane !

Morgane ! » répète une voix dans son cerveau embrouillé. Il doit cesser de danser, il doit sauver la fée, les chevaliers, le roi Arthur, il doit…

Rassemblant toute sa volonté, il lâche la main du danseur à sa droite, et tire de toute sa force sur celle du chevalier à sa gauche.

D'un coup, lui, Léa et les trois hommes en armure dégringolent dans l'herbe avec un bruit de casserole.

De nouveau, le cercle se referme, et la ronde continue de tourner au rythme joyeux de la musique, la ronde ensorcelée qui ne s'arrête jamais.

10

Les cadeaux
des chevaliers

Les chevaliers restent un moment étendus, s'efforçant de reprendre leur souffle. L'un d'eux finit par haleter :

– La ronde… Il faut arrêter… arrêter de tourner !

– Vous avez arrêté ! leur crie Léa. On vous a tirés hors du cercle !

Celui qui vient de parler lève vers les enfants un rude visage anguleux. Il demande d'une voix rauque :

– Qui… qui êtes-vous ?

– Nous sommes des amis, répond Léa.

Nous venons de la part du roi Arthur.

Elle parle fort pour couvrir la musique.

– Nous accomplissons une quête, enchaîne Tom. Nous sommes à la recherche de l'Eau de la Mémoire et de l'Imagination.

– Pour sauver Camelot ! ajoute Léa.

– Camelot… ? murmure le chevalier. Vous venez de Camelot ? Je ne me souviens pas de vous…

– Nous ne sommes que de passage. Mais nous savons beaucoup de choses sur vous, car vous êtes très célèbres. Vous êtes le chevalier Lancelot, n'est-ce pas ?

L'homme hoche la tête :

– Oui. Voici Perceval, et mon fils, Galahad.

– Le roi Arthur vous croyait perdus à jamais ! dit Tom.

Lancelot ferme les yeux :

– Cette musique… cette ronde… Nous

étions ensorcelés et nous avons tout oublié.

– J'ai bien failli tout oublier, moi aussi, soupire le garçon. On ne peut pas passer près de ces danseurs sans être entraîné dans leur cercle infernal !

– Père… ! souffle alors Galahad.

Le jeune chevalier essaie de s'asseoir, mais il est encore trop affaibli. Il se laisse retomber dans l'herbe et balbutie :

– Père ! L'Eau… Nous devons… trouver l'Eau…

Léa se penche vers lui et dit doucement :

– Reposez-vous ! Nous sommes là, maintenant.

– Ne vous faites pas de souci ! renchérit Tom. Ma sœur et moi, nous rapporterons l'eau magique qui sauvera Camelot !

Léa lui coupe la parole :

– On n'a pas le temps d'attendre, Camelot se meurt !

– Nous devons faire vite ! insiste Tom.

– En ce cas, dit le jeune Galahad, prenez ceci !

Il sort d'un sac de cuir pendu à son épaule un objet brillant et le tend à Léa d'une main un peu tremblante. C'est une coupe en argent.

– La coupe ! s'écrie la petite fille.

– Et ceci, ajoute Perceval en remettant à Tom un rouleau de parchemin.

Le garçon le déroule et lâche :

– La carte !

– Voilà qui vous sera également utile, dit Lancelot.

Il ôte de son cou un cordon de soie. Au bout du cordon se balance une grosse clé de verre.

– Et la clé ! murmure Léa.

Elle passe le cordon à son cou. Puis elle se tourne vers les chevaliers :

– Merci ! Nous…

Mais les trois hommes sont retombés dans l'herbe, profondément endormis.

– Ils ont beaucoup de sommeil en retard, on dirait ! compatit la petite fille.

Tom ramasse son sac et en tire un carnet :

– Tous nos cadeaux sont là, je pense. Une minute, je vérifie !

Il relit la deuxième comptine à voix haute :

> Quatre cadeaux
> vous recevrez :
> Le premier je vous offrirai,
> Puis on vous donnera une
> coupe, une carte,
> Et, pour finir, une clé.

– Super ! s'exclame Léa. On a tout ce qu'il faut. Tu vois, cette quête n'est pas si difficile !

Tom secoue la tête d'un air dubitatif :

– Elle n'est pas finie… Nous devons encore trouver le fameux chaudron !

– On le trouvera ! Relis la troisième comptine !

Le garçon se replonge dans son carnet :

Qui survivra à cette quête
    Trouvera, à l'ouest,
  la porte secrète.

– Pas de problème ! commente sa sœur. On a survécu aux gardes, on a survécu à la ronde. Maintenant, la carte va nous montrer le chemin, la clé nous ouvrira la porte secrète, nous remplirons la coupe avec l'eau du chaudron, et voilà !

– Si tu le dis…, soupire Tom.

Il déroule le parchemin, examine la carte, regarde autour de lui pour se repérer, et désigne un bois touffu, sur sa gauche :

– C'est par là !

– Alors, on y va ! Tiens, range la coupe dans ton sac à dos !

Les enfants se mettent en route.

Ils pénètrent bientôt sous les arbres et suivent un étroit sentier. Des buissons de ronces leur égratignent les mains, des branches basses leur fouettent le visage.

Tom ne cesse de consulter la carte. Marchent-ils bien vers l'ouest ? Oui, voici le gros rocher représenté sur le parchemin, le grand chêne, le petit ruisseau…

En même temps, il se demande quelle sorte de porte ils vont trouver, au milieu d'une forêt !

Soudain, Léa s'arrête, inquiète :

– Écoute !

– Je n'entends rien.

– Justement ! C'est bizarre…

Léa a raison. Le bois est devenu étrangement silencieux. Pas un souffle de vent, pas un chant d'oiseau ! On ne perçoit même plus la musique de la ronde, au loin.

– J'espère que je ne me suis pas trompé en lisant la carte…, marmonne Tom.

– Tu ne t'es pas trompé. Regarde !

De la main, la petite fille écarte une branche feuillue. Ils sont arrivés à la lisière de la forêt.

Une colline s'élève devant eux. Sur une corniche, entre deux blocs de rochers, une haute porte de verre étincelle.

11

La grotte de cristal

– La voilà, la porte secrète ! s'écrie Léa.

– Oui, c'est la porte de verre de la comptine !

Tom range le parchemin dans son sac à dos et s'élance derrière sa sœur, qui escalade déjà la pente raide.

Arrivée sur la corniche, la petite fille prend la clé de verre pendue à son cou, l'introduit dans la serrure et la tourne lentement.

Clink !

– Ça marche ! souffle-t-elle.

Elle pousse le battant avec précaution.

Derrière la porte s'étend une immense grotte brillant de mille feux. Le sol, les parois et la voûte sont taillés dans un pur cristal, où palpitent des lueurs orangées.

– D'où vient cette lumière ? demande Tom en clignant des yeux, ébloui.

– De là !

Léa désigne une faille dans la paroi du fond. Les enfants courent regarder. Ils découvrent une vaste salle, elle aussi taillée dans le cristal, dans laquelle s'ouvrent quatre immenses portes.

Dans l'un des coins de la salle brûle un grand feu. Les flammes rouges lèchent le ventre d'un gros chaudron d'or, suspendu au-dessus du foyer.

– Le chaudron qui contient l'Eau de la Mémoire et de l'Imagination ! murmure Tom.

– On y va ! s'écrie Léa.

– Attends ! Et les Gardiens du Chaudron ? Souviens-toi, d'après la comptine, ils veillent par-delà la porte de verre…

– Tu vois bien qu'il n'y a personne ! Ils sont sans doute allés faire un tour. Profitons-en !

La petite fille se faufile par la fente et s'élance vers le chaudron. Tom la suit, tout en fouillant dans son sac pour en sortir la coupe du chevalier Galahad.

– C'est trop haut ! s'exclame alors Léa. Comment on va faire ?

– Tiens, prends ça ! dit Tom en lui tendant la coupe. Et grimpe sur mes épaules !

Il s'accroupit pour que sa sœur puisse se hisser. Puis il se redresse, les jambes flageolantes :

– Dépêche-toi ! Tu es lourde !

– Je n'y arrive pas, je suis trop loin. Rapproche-toi !

– Si tu crois que c'est facile…

Tom fait quelques pas en titubant. Léa tend le bras autant qu'elle peut. Elle plonge la coupe dans l'eau bouillonnante et la ressort remplie à ras bord.

– Je l'ai ! Repose-moi ! Doucement !

La petite fille serre la coupe dans ses deux mains, tandis que Tom plie lentement les genoux. Les enfants fixent l'eau qui frémit encore, une eau claire où dansent des reflets de cuivre.

– Morgane est sauvée ! dit Léa.

Une curieuse odeur parvient alors aux narines de Tom. Il fronce le nez, un peu dégoûté : ça sent le vieux foin pourri. Puis il entend une sorte de gargouillement.

Il se retourne et lâche une exclamation.

Une créature gigantesque vient de surgir par l'une des portes. Son corps et ses

pattes
de crocodile
sont recouverts
d'une armure d'écailles
luisantes ; les ailes accrochées
à son dos semblent tissés dans les
toiles d'un million d'araignées ; ses
yeux flamboient, et sa gueule entrouverte
dévoile deux rangées de crocs aussi pointus
que des pics à glace.

Le monstre ouvre plus grand ses terribles mâchoires. Il émet un sifflement strident, et une longue flamme bleue jaillit du fond de son gosier.

La deuxième porte s'ouvre, puis la troisième, la quatrième. En sortent un deuxième, un troisième, un quatrième monstre, semblables au premier.

Tom comprend soudain : « Les voilà ! Ce sont eux les Gardiens du Chaudron ! »

Flammes rouges contre flammes bleues

Les Gardiens du Chaudron s'approchent lentement. Ils sifflent, menaçants, tandis que de leurs naseaux monte une fumée bleutée.

– Qu'est-ce qu'on fait ? chuchote Léa.

– Je ne sais pas… On est encerclés !

– J'ai une idée ! On n'a qu'à boire de l'eau !

– Quoi ?

– L'Eau de la Mémoire et de l'Imagination ! Si on en boit, on imaginera peut-être une façon de s'échapper ?

– C'est complètement fou…

Les gardiens avancent toujours, lâchant de courtes flammes. L'odeur de foin pourri empuantit l'atmosphère.

– D'accord, fait Tom, on essaie !

Léa avale une gorgée d'eau, puis elle passe la coupe à son frère. Il la prend, les mains tremblantes, et en aspire un peu à son tour. L'eau a un drôle de goût, elle est douce et piquante, amère et sucrée tout à la fois.

Tom rend la coupe à Léa.

– Maintenant, dit celle-ci, imaginons que nous sommes sauvés !

Tom ferme les yeux. Il imagine de toutes ses forces les quatre monstres se détournant et repartant paisiblement par les quatre portes.

Il rouvre les yeux.

Les redoutables gardiens sont toujours là, mâchoires ouvertes, prêts à cracher le feu !

– C'est l'heure du combat ! s'écrie alors Léa en posant la coupe sur le sol.

– Hein ? Le combat ? Mais…

Soudain, Tom a l'impression d'être frappé par un éclair. Sa peur s'évanouit d'un coup. Il se sent rempli d'audace et d'énergie. Sans réfléchir, il se penche vers le foyer et saisit un brandon dans chaque main. À ses côtés, Léa fait de même.

Les enfants agitent leurs torches improvisées. Tom a l'impression d'être armé d'épées de feu. Il lance un terrible cri de guerre :

– AAAAAAAAAAH !

Les gardiens ripostent en sifflant. Des flammes bleues jaillissent de leurs gueules. Tom et Léa les détournent d'un vif mouvement de leurs torches.

Une bataille fantastique commence alors, feu contre feu, flammes rouges contre flammes bleues !

– Arrière ! Arrière ! rugissent les enfants.

Et, à chaque cri, Tom se sent plus brave et plus fort.

Les flammes que lancent les gardiens s'affaiblissent peu à peu ; on dirait de grosses cuisinières en panne de gaz. Finalement, l'un après l'autre, ils reculent vers les portes, et chacun disparaît par où il est venu.

Lorsque les quatre gardiens sont partis, les enfants déposent une torche devant chaque porte pour les empêcher de revenir. Puis ils frottent leurs mains noircies.

– On s'en va ! décide Léa en reprenant tranquillement la coupe.

Tom approuve de la tête.

Ils repassent par la faille de cristal, traversent la caverne scintillante et ressortent,

bien soulagés de retrouver la lumière du jour. Tom referme la porte de verre ; il tourne la clé dans la serrure. Il passe le cordon de soie au cou de sa sœur. Il sent alors ses jambes devenir aussi molles que des chamallows, et il s'évanouit.

Des montures
de chevaliers

Lorsque Tom revient à lui, il s'assied et marmonne :

– Je n'arrive pas à y croire !

Léa se met à rire :

– Oui, hein ? Ça, c'est une aventure !

Le garçon remet ses lunettes en place et regarde sa sœur d'un air grave :

– À ton avis, que s'est-il réellement passé ?

– J'ai imaginé que nous combattions les Gardiens du Chaudron avec des épées de feu. Et toi ?

Tom hausse les épaules :

– Moi, je… j'ai seulement imaginé qu'ils repartaient dans leurs trous !

– Eh bien, tu vois ! On a obtenu chacun ce qu'on désirait. Cette eau est vraiment magique !

Un rugissement de rage retentit soudain à l'intérieur de la caverne.

– Aïe, les revoilà ! souffle la petite fille.

– Fichons-le camp ! s'écrie Tom.

Les enfants sautent sur leurs pieds et dévalent la pente rocheuse. Léa s'efforce de ne pas renverser l'eau de la coupe.

Quand ils se retrouvent à l'orée de la forêt, Tom ressort la carte de son sac :

– Bon, … le ruisseau, le grand chêne, le rocher…

Ils suivent le sentier dans l'autre sens, s'éloignant le plus vite possible des redou-tables gardiens. Enfin ils entendent au loin la musique de la ronde. Et, bientôt, ils se retrouvent dans la prairie. Les danseurs ailés tournent toujours au son des flûtes, des luths et des tambourins.

Le cœur de Tom bat plus fort. Il a une telle envie de reprendre place dans le cercle ! Mais il sait qu'il ne le doit pas. Cette fois, il ne pourrait peut-être plus jamais en sortir…

– Ah ! Nos chevaliers sont réveillés ! s'écrie Léa.

Lancelot, Perceval et Galahad, debout, ont ramassé leurs épées et les remettent au fourreau.

– Hou hou ! les interpelle joyeusement la petite fille. On a l'eau ! On a réussi !

Les chevaliers accourent. Ils semblent encore bien fatigués, mais leurs joues ont repris quelques couleurs.

– On a l'Eau de la Mémoire et de l'Imagination ! clame Léa en levant la coupe. Je n'en ai presque pas renversé !

– Nous n'avons plus qu'à rentrer à Camelot, déclare Tom.

– Nous aimerions vous y aider, dit Lancelot. Malheureusement, nous avons perdu nos montures.

– Non, non ! le rassure Tom. Elles sont de l'autre côté de la colline.

Le garçon ramasse la cape rouge au passage. Puis les enfants escaladent la pente en compagnie des chevaliers. Ils retrouvent la prairie où paissent les chevaux. Ceux-ci hennissent en reconnaissant leurs maîtres et s'approchent au petit trot.

Lancelot flatte l'encolure du cheval noir. Il dit :

– Les enfants, je vous ramène au château !

Il se met en selle. Il tend la main à Léa, puis à Tom, pour les aider à monter en croupe derrière lui.

Tom enroule la cape rouge autour de ses épaules. Léa s'accroche à la taille du

chevalier d'une main, de l'autre elle serre contre elle la coupe d'argent.

Galahad monte le cheval brun, Perceval a enfourché le gris. Les trois chevaliers mènent leurs destriers au pas jusqu'au portail de fer. Là, Lancelot lève son épée et ordonne d'une voix puissante :

– Ouvrez cette porte, au nom du roi Arthur, souverain de Camelot !

La porte de fer tourne lentement. Lancelot pousse son cheval en avant.

Les gardes en armure d'or ne font pas un geste. Les trois cavaliers traversent l'un derrière l'autre le pont de bois. Et Tom frissonne en retrouvant la nuit, le froid et le brouillard, qui enveloppent toujours le royaume d'Arthur. Quelle différence avec l'Autre Monde !

Alors qu'ils quittent le pont, les chevaux hennissent soudain et renâclent en secouant la tête.

– Oooooh ! lâche Léa.

Debout sur un rocher, dans un lambeau de brume, se tient le cerf blanc.

Retour à Camelot

Les trois chevaliers, stupéfaits, fixent la merveilleuse apparition.

– Tiens-moi ça ! dit Léa en tendant la coupe à son frère.

Elle se laisse glisser à terre, court vers le cerf et jette ses bras au cou du bel animal :

– Merci d'être venu nous chercher !

Les chevaliers se tournent vers Tom, l'air interrogateur.

– C'est le cerf blanc, explique le garçon. C'est lui qui nous a amenés.

– Êtes-vous des magiciens ? demande

Perceval d'une voix troublée.

– Oh, non ! Nous sommes des enfants ordinaires. Mais lui, il est magique ! Nous sommes arrivés jusqu'ici en un rien de temps ! Je pense qu'il veut nous ramener.

– En ce cas, allez avec lui ! dit Lancelot. Car, pour nous, le voyage sera long.

Le chevalier tient la coupe le temps que Tom mette pied à terre. Le cerf s'est accroupi et attend.

Tom reprend la coupe, monte derrière Léa et installe bien la cape rouge autour de leurs épaules. Le cerf se relève.

– Dites au roi Arthur que nous serons de retour pour la nouvelle année ! leur crie Lancelot.

– Au revoir, Tom ! Au revoir, Léa ! lance Galahad.

– Bon voyage ! leur souhaite Perceval.

– À vous aussi ! crient les enfants.

Le cerf blanc secoue la tête ; un nuage

de vapeur sort de ses naseaux. Il descend
la pente d'un pas tranquille. Arrivé en bas,
il s'élance soudain.

Il traverse les champs enneigés, les
prairies où dorment des troupeaux ; il
dépasse des villages paisibles. Il franchit

des murets de pierre et des ruisseaux gelés. Il file dans la nuit étoilée comme une comète, et les pans de la cape rouge flottent dans le vent.

Enfin, le cerf arrive devant les sombres murailles de Camelot. Il s'agenouille alors, et les enfants se laissent glisser à terre.

Par miracle, l'eau du chaudron remplit toujours la coupe d'argent. Pas une goutte n'a été renversée !

– Laissons la cape, dit Tom. Elle va nous embarrasser.

Léa aide son frère, qui tient la précieuse coupe, à ôter la cape. Puis elle en drape le grand cerf :

– Tiens ! Tu auras bien chaud ! Et merci pour tout !

– Oui, ajoute Tom. Merci, et au revoir !

Le cerf blanc les fixe longuement de ses beaux yeux d'ambre. Puis il secoue la tête, se détourne et disparaît dans la nuit.

– Allons-y ! dit Tom.

Il s'engage sur le pont-levis.

– Doucement ! recommande Léa.

– Ça va, je fais très attention.

Ils traversent la cour intérieure, franchissent le portail, remontent le grand hall, entrent dans la salle. Les choses sont exactement comme ils les ont laissées. Il fait affreusement froid, la lumière des torches est si faible qu'on n'y voit presque rien.

Le roi Arthur, la reine Guenièvre, les chevaliers et la fée Morgane sont toujours pétrifiés autour de la table.

– Qu'est-ce qu'on fait, maintenant ? demande Tom.

– Déposons une goutte de cette eau sur chacun d'eux, propose Léa.

– D'accord !

Retenant son souffle, les yeux sur la coupe, Tom avance vers la table…

Soudain, il pose le pied droit sur le lacet dénoué de sa basket gauche. Il titube.

– Tom ! crie Léa.

Trop tard ! Le garçon perd l'équilibre, il tombe, et la coupe lui échappe des mains.

15

Un Noël magique

Sous les yeux horrifiés des enfants, l'eau se répand sur le sol, court en minces ruisselets entre les dalles de pierre et disparaît.

Léa ramasse la coupe. Elle est complètement vide.

– Oh non ! gémit Tom en enfouissant son visage dans ses mains.

Camelot ne se réveillera pas de son sommeil maléfique ; la légende sera oubliée à jamais. Et c'est sa faute !

– Tom ! s'écrie alors Léa. Regarde !

Il relève la tête et rajuste ses lunettes.

Une vapeur dorée monte du dallage. Elle se répand peu à peu, emplissant les lieux d'une délicieuse odeur de cèdre, de sapin, de rose et d'amande. Elle monte encore, plane sous les hautes voûtes.

Soudain, une colombe blanche entre à tire-d'aile par l'une des fenêtres, parcourt la salle comme un trait de lumière, puis repart, avalée par la nuit.

Une rumeur s'élève alors dans la grande pièce. Et Tom, éberlué, voit que le roi Arthur et la reine Guenièvre se regardent en riant. D'autres rires se joignent aux leurs, ceux des chevaliers de la Table Ronde ! Et celui de Morgane !

– Tom ! Léa ! Approchez, mes enfants ! s'écrie la fée en leur tendant les bras.

Léa court l'embrasser.

Tom se relève et s'élance à son tour.

– Nous avons fait ce que le Chevalier Rouge nous a demandé, dit Léa. Nous avons rapporté l'Eau de la Mémoire et de l'Imagination !

– Seulement, je l'ai renversée ! dit Tom.

– Mais l'eau s'est transformée en vapeur dorée. Et tout le monde est revenu à la vie !

Morgane ouvre des yeux étonnés :

– Vous revenez de l'Autre Monde ?

– Oui ! s'écrie Léa.

– Un beau cerf blanc nous y a emmenés, et il est revenu nous chercher, raconte Tom.

Il se tourne vers le roi Arthur et déclare :

– Votre Majesté, nous rapportons de bonnes nouvelles. Vos chevaliers sont sains et saufs. Messire Lancelot vous fait dire qu'ils seront là pour le nouvel an.

Le roi semble bouleversé. Il murmure :

– Ainsi, vous les avez retrouvés ?

– Oui, et ils vont bien, lui assure Léa.

Tom s'approche, il tend au roi la coupe :

– Tenez ! Vous la rendrez à messire Galahad !

Il sort ensuite la carte de son sac :

– Et ceci à messire Perceval !

– Et vous donnerez cette clé à messire Lancelot ! termine Léa en ôtant le ruban de soie de son cou.

Le roi Arthur est trop ému pour parler. Puis il recouvre ses esprits et s'écrit d'une voix forte :

– Qu'on sonne les cloches ! Qu'on invite le peuple de Camelot au château ! Nous devons nous réjouir, car le royaume est sauvé ! Ce sera la plus belle des fêtes de Noël !

Les chevaliers se lèvent et applaudissent. La reine Guenièvre, les yeux brillants, s'adresse aux enfants :

– Merci ! Vous nous avez rendu la vie. Du fond du cœur, merci !

Tom et Léa s'inclinent. Ils entendent alors des voix et des rires. Une foule de gens joyeux a envahi le grand hall. Des musiciens les accompagnent.

– Entrez ! Entrez, mes amis ! les invite le roi.

Les gens se pressent dans la salle, les musiciens se mettent à jouer.

Soudain, un murmure monte de l'assemblée : sous l'arche de la porte se tient le cerf blanc. Tom se tourne vers Morgane et lance avec excitation :

– Le cerf ! Voilà le cerf qui nous a emmenés jusqu'à l'entrée de l'Autre Monde !

– Oh ! fait Morgane. Je comprends…

Les enfants la dévisagent, étonnés. Voyant que la fée fixe l'entrée avec un drôle de petit sourire, ils regardent à leur tour. Le cerf est parti !

À sa place, ils voient un très vieil homme à la longue barbe blanche. Il tient un bâton à la main, et ses épaules sont recouvertes d'une grande cape rouge.

Cette cape… C'est celle que Tom et Léa ont portée pendant leur quête, celle qui les a rendus invisibles !

– Qui est-ce ? souffle Tom.

– Je vous présente Merlin, dit Morgane. Il vous a invités, je le comprends maintenant !

– L'enchanteur Merlin ? s'exclame Tom. L'invitation venait de lui ?

– Bien sûr ! Il nous a tous endormis par un sortilège et vous a emmenés dans l'Autre Monde !

– Pas du tout ! proteste Léa. C'est le Chevalier Rouge qui vous a lancé un sort, et c'est le cerf blanc qui nous a transportés sur son dos !

Morgane se met à rire :

– Le Chevalier Rouge, le cerf blanc, c'était Merlin ! Merlin est un enchanteur, un magicien ! Il change d'apparence comme il le désire.

– Ohhhh ! lâche Léa.

– Mais…, demande Tom, pourquoi a-t-il agi ainsi ?

– Merlin était furieux qu'Arthur ait

banni la magie de Camelot. Il a donc pris les choses en mains.

– Comment cela ?

– Il savait que le roi refuserait d'envoyer d'autres chevaliers en quête de l'Eau de la Mémoire et de l'Imagination. À mon avis, il vous a invités à Camelot en espérant que vous proposeriez d'y aller.

– Nous ? s'étonne Léa. Pourquoi nous ?

Morgane sourit :

– Il m'a souvent entendue raconter vos aventures avec la cabane magique. Il connaissait votre bon cœur, et aussi votre grande capacité d'imagination. Ce sont deux qualités essentielles pour réussir n'importe quelle quête.

Les enfants se tournent vers Merlin. Debout devant la porte, le magicien à la barbe blanche leur sourit. Il lève son bâton comme pour les saluer. Puis il se glisse par l'ouverture et disparaît.

Dans la grande salle, torches et candélabres déversent maintenant une vive clarté.
Les musiciens jouent, les gens chantent.
Un jeu flambe joyeusement dans l'immense
cheminée, et une douce chaleur rosit tous
les visages.

La malédiction du Sorcier Noir est brisée.

16

Retour à la maison

– Tom ! dit Léa. Réveille-toi !

Le garçon ouvre les yeux. Il est allongé sur le plancher de la cabane, dans la pénombre. Par la fenêtre, il aperçoit un coin de ciel couvert de nuages gris.

– On est de retour, lui dit sa sœur. Rentrons à la maison !

– J'ai dû m'endormir, marmonne Tom. J'ai fait un drôle de rêve. On était au château de Camelot, et l'enchanteur Merlin…

– Ce n'était pas un rêve. Tu t'es endormi sur la table, entre les fameux chevaliers de la Table Ronde ! Et le roi Arthur t'a porté dans ses bras jusqu'à la cabane.

Tom s'assied et remonte ses lunettes :

– C'est vrai ?

– C'est vrai !

Au loin, une voix appelle :

– Toooom ! Léaaaaa !

La petite fille court à la fenêtre et crie :

– On arrive !

– Tu veux dire… vrai de vrai ? insiste Tom.

Léa lui met sous le nez l'invitation royale, écrite en lettre d'or sur un parchemin et signée d'un grand M :

– Et, cette fois, le M ne signifiait pas Morgane, mais Merlin !

Tom sourit et murmure :

– Alors, merci, Merlin !

Il ramasse son sac à dos et suit sa sœur, qui descend par l'échelle de corde.

Il fait presque nuit ; de légers flocons commencent à voltiger dans l'air glacé. Quand les enfants sortent du bois, la neige recouvre déjà d'une pellicule blanche la rue et les trottoirs. Leur maison, avec ses fenêtres éclairées, brille au loin comme un sapin de Noël.

Leur mère les accueille sur le pas de la porte :

– Vous avez passé une bonne journée ?

– Très bonne ! dit Tom.

– Une journée super ! renchérit Léa.

Ils entrent ; la maison est chaude et confortable, de bonnes odeurs montent de la cuisine. Et dans deux jours, c'est Noël !

Après le dîner, Tom s'enferme dans sa chambre et sort son carnet du sac. Il le feuillette et s'aperçoit que, à part le texte des trois comptines, il n'a rien noté pendant leur séjour à Camelot.

Il pousse un long soupir, s'allonge sur son lit et ferme les yeux. Il essaie de se rappeler chaque détail de leur extraordinaire aventure.

Il se souvient de la terreur qu'il a ressentie, en découvrant Morgane pétrifiée ; il entend encore la musique ensorcelée accompagnant la ronde des danseurs ailés ; il retrouve dans sa bouche le goût, doux et piquant, amer et sucré à la fois, de l'Eau de la Mémoire et de l'Imagination ; il revoit le combat fabuleux avec les Gardiens du Chaudron…

Soudain, Tom s'assied ; il ouvre son carnet à une page blanche, prend son stylo et commence à écrire :

> Tout a commencé
> à notre retour de l'école,
> lorsque nous avons entendu
> roucouler une colombe…

Derrière la fenêtre, la neige tourbillonne. Tom écrit, écrit…

Il se sert de sa mémoire et de son imagination. Il n'arrête pas d'écrire avant d'avoir raconté toute l'histoire, leur histoire, à lui et à Léa. C'est sa façon de garder vivante la merveilleuse légende du roi Arthur et des chevaliers de la Table Ronde, de l'enchanteur Merlin et de la fée Morgane.

FIN

Si tu as envie de nous donner
tes impressions sur la série
ou nous parler de **tes propres voyages**
réels ou imaginaires,
n'hésite pas à nous écrire !

Bayard Éditions Jeunesse
Série Cabane Magique
3, rue Bayard
75008 Paris

N'oublie pas d'écrire
ton nom et ton adresse sur la lettre !